매일이 생일인 사람

매일이 생일인 사람

발　행 | 2024.07.01
저　자 | 백찬현
펴낸이 | 한건희
펴낸곳 | 주식회사 부크크
출판사등록 | 2014.07.15.(제2014-16호)
주　소 | 서울시 금천구 가산디지털1로 119 A동 305호
전　화 | 1670-8316
이메일 | info@bookk.co.kr
저자 이메일 | sa0181@naver.com

ISBN | 979-11-410-9169-9

매일이
생일인
사람

백찬현 지음

– Prologue

책을 출판한 방향성에 대하여,

자의적인 책을 읽고, 블로그를 쓰다

읽고, 쓰다의 행위들로 인해 책 출판이라는 방향성이 정해진 것 같다.

처음부터 잘하는 사람은 없다, 책을 쓰며 나는 자기 검열이 심하다는 걸

,완벽하기 위해 사는 사람 같다.

내가 하고 싶은 것을 찾은 방향성에 대하여 감사하다.

예전에 어느 횟집 어르신이 나는 이걸 하고 싶었는데, 배운 게 이것이다 보니

이것을 하게 됐다고 했다. 근데 행복하시다고 했다

당시에는 이해가 되지 않았다.

그 말이 이제야 어떤 말인지 알게 되었다.

무엇이든지 최선을 다해보면, 깊게 숨어있는 매력이 보인다.

이래서 어르신들이 "일 년은 해봐야지"라는 말이 나오다 보다.

그렇게 최선을 다하게 됐다.

내가 하고 싶은 것을 최선을 다한다.

그것만으로도 나는 행복한 인생이지 않을까 싶다.

매일이 생일인 사람이다.

CONTENT

제1화 나는

블로그

나는 블로그에서 많은 것을 배운다
블로그가 없었다면 책 출판은 생각도 안 해봤을
것이다.
책은 나를 위해 읽을 순 있으나 쓰는 것은 동기
가 없는 한 힘든 것 같다.
나에게 쓰다 라는 건 강제적인 학생 때나 회사업
무 말고는 생각해 본 적 없다. 처음으로 블로그라
는 걸 통해 자의적인 쓰다를 해봤다
나의 블로그는 맛집과 일상이다

현재도 내가 이거 왜 시작했지?? 생각해 봐도 기억 안 나는 걸 보니 특별한 이유는 없었던 것 같다.

내 블로그는 1일 1포스팅을 기본으로 두고 있다 1일 1포스팅이 이렇게 힘들 거라고 생각해 보지 못했다, 많은 시행착오와 편법의 패배감을 딛고 블로그 1일 1포스팅을 통해 꾸준함을 배웠다. 나에게 누군가가 꾸준함을 묻는다면 주저 없이 블로그를 써보라고 할 것이다, 이렇게 하나하나 배우다 보니 나만의 거창한 이유가 되었다.

한번은 집에서 티비를 보다가"운"에 대하여 나왔는데 운이라는 건 머물러있지 않고 계속 돌아다닌다고 한다. 보면서 블로그와 비슷하다고 생각했다. 나는 운이 좋아서 블로그를 시작했고 블로그를 통해 배우고 있으며, 누군가에겐 블로그를 들어왔다가 운이 좋아서 새로운 정보를 얻어 가기도 하며 사장님들에겐 내 포스팅이 운일 수도 있게 다라고.

내가 행복하기 위한 블로그지만 행복을 나누는

사람도 되었다

블로그를 쓰면서 불친절한 가게들도 있었고 소재가 부족한 날도 적지 않았다. 누군가는 나에게 불친절한 가게는 불친절하다고 소개해야지라고 한다.

하지만 나는 소심한 성격 탓인지 카페나 음식점에 가서도 구석을 좋아하고 사람이 있으면 사진을 못 찍는다 나조차도 떳떳하지 않은데 내가 무슨 자격으로 그럴 수 있나 싶기도 하며 "특별히 오늘 무슨 일 있으신가 보지 뭐" 라며

대수롭지 않게 지나간다

오히려 이런 소심한 성격이 한번 더 나를 겸손하게 만들어주었다.

불친절한가게를 욕하기보단 가게소개를 하지 않는다 그러다 보니 자연스럽게 소재가 부족해졌다,

그래서 일기장도 되었다.

소재가 부족하다는 핑계를 대고 싶지 않았다.

그렇게 일기장으로 나의 하루의 진실성을 배웠다.

그러던 중 어느 날 갑자기 책을 쓰고 싶다는 생각이 들었다 생각해 보면 매일 책을 읽고, 블로그

를 쓰다 보니 자연스러운 것 같기도 하다.

그러면서 삼박자가 들어왔다.
나는 책을 쓰러 카페에 가는데 책을 쓰러 가는
거지만 나의 블로그 소재가 되며 정보의 나눔은
덤이고, 사장님들에게 행복을 전한다.
예전 블로그는 소재의 금액적 부담감과, 1포스팅
의 부담감이 있었다, 책을 쓰면서 나는 마침 장소
가 필요해지면서 그런 부담감이 다 해소된 것이
다. 그리고 자연스럽게 카페를 알아보면서
내가 좋아하는 분위기 취향을 알게 되는 건 덤이
었다.

남들처럼 대단한 포부를 갖고 시작하지 않았지만
블로그를 통해 인생을 배웠다.

잠

나는 흔히 보이는 30대 초반에 흔한 남자다.

외모 학력 집안 그 어떤 것도 특별하지 않다, 평균보다 아래이다.

그렇기에 내가 다른 사람들을 조금이라도 따라가려면 잠을 줄이는 것 밖에 없었다.

아니 줄일 수 있는 건 잠밖에 없다.

그렇기에 나는 핑계가 어울리지 않다.

나에게 잠과 체력은 상호 관계이다.

잠을 줄이기 위해 체력을 기른다는 말이 나에게는 맞다.

지금에 나는 4-6시간 정도 잔다
물론 상황에 따라 2시간만 자기도 한다.
아무리 티비에서 의사들이 6시간, 8시간은 꼭 자야 한다고 하지만 그렇게 다 지키며 살 수가 없다는 것을 안다.
술은 왜 먹는가? 떡볶이는 왜 먹는가? 탕후루는 왜 먹는가?
사람들은 내가 하고 있는 행위를, 아니면 나를 조금 더 편하게 만들어주는 것들
즉, 듣고 싶은 것만 듣고 싶어 하며 운동은 하지 않으며 잠은 더 자려는 것만 머릿속에 각인시키는 "온실 속 화초"나 가능한 이야기다.

나는 온실 속 화초보다는 진흙탕 길이었다.
현재는 감사하고 있으며 내가 가진 강점들이 생겼다.

항상 평균 아래였기에 겸손할 수도, 무너지지 않을 단단함 들을 배웠다.

오히려 지금은 애매한 거보단 낫다고 감사하게 생각한다.

내가 잠을 줄이면서 한 가지 깨닫는 것이 있다면 나와 비슷한 사람들이 보인다는 것이다.

주변에 하루를 부지런히 살아가는 체력을 가진 이들이 보인다.

저들은 무엇을 대가로 달려가는 걸까, 생각해 본다. 각자 다른 이유가 있겠지만 그 어떤 것에도 체력은 필수라는 걸 아는 사람들이다.

난 지금 상황이 나아졌더라도 백 번, 천 번, 만 번 대가를 묻는다면 아직까지도 잠을 줄이는 것으로 해결 가능하다면 무조건 잠을 선택한다.

사람은 안 바뀐다,

그리고 지금의 내가 맘에 든다.

나에게 소중한 사람들의 만남을 위해

내가 하고 싶은 것을 위해

어떠한 상황에서도 포기하지 않기 위해 체력을 기른다.

"그 어떤 것에도 기초는 체력이다"

사과[당도체크]

저는 어려서부터 사과를 좋아했습니다
아침 사과가 그렇게 몸에 좋다고 해서 어렸을 때
부터 사과가 있으면 꼭 챙겨 먹었어요
아직까지도 챙겨 먹고 있습니다.
그런데 언제부턴가 하루 기분을 예언하듯이 먹게
되었습니다.
저희 집은 항상 홍천 사과를 먹는데 같은 집에서
사 온 거여서 당도가 비슷합니다
아침에 하나씩 먹을 때마다 오늘은 더 달다!

하면서 오늘 하루 기분이 좋을 건가 보다 라며 나에게 아침부터 최면 걸듯이 행동한답니다.

물론 달지 않은 날도 있답니다.
대체로 걱정이 많은 날이 그런 거 같았어요.
그런 날은 오늘 더 열심히라며, 사과 하나에 또 훌훌 털어버리고 내일은 달겠지? 라며 내일을 기대합니다.
이렇듯 저는 하루에 기분을 굉장히 중요하게 생각합니다.

오늘 하루는 돌아오지 않습니다.
공휴일만이, 연휴만이 중요한 하루가 아닙니다.
지금 이 시간도 돌아오지 않는 시간이랍니다.

항상 하루 기분 관리를 잘 하셔서 항상 행복하셨으면 좋겠습니다.

응원하겠습니다.

36분

제 인생을 바꾼 숫자 "36분"입니다.

저는 키 171, 몸무게 108kg이었습니다.

현재는 171, 몸무게 64kg입니다.

108kg이었을 때 자존감은 말로 할 수 없을 정도로 바닥이었습니다.

한번은 허리가 너무 아파서 병원에 갔는데 과체중에 의한 디스크라고 하더군요.

다이어트해야겠다고 하시는데 보이지 않는 막연함에 좌절이었습니다.

얼마나 아팠는지 이후에 운동을 시작했습니다.
과체중이여서 조금만 운동해도 살이 잘빠지더군
요 한 달 동안 5kg이 빠졌습니다.
동시에 정상체중까지 해야 한다는 막연함에 또
좌절감이 들었습니다.

그래서 매일 운동할 방법을 찾아봤습니다.
힘들지만 힘들지 않았으면 좋겠다라며, 그러면서
맛있는 건 먹고 싶다며 청개구리 같은 마음에 운
동 종류, 먹는 것, 시간까지 내 몸에 시행착오를
줬습니다.

그렇게 나온 것이 줄넘기와 36분입니다.
지나고 보니 알아가는 과정과 시간이 값지다고
생각이 듭니다.
그렇게 많은 시행착오 후에 하루하루들이 습관이
되어 한 달이 되고 일 년을 만들었습니다.
현재 저에게 운동이란 단순히 다이어트의 목적이
아닌 정신건강의 목적이 되었습니다.

저는 내일 지구가 멸망한다 하더라도 36분의 줄
넘기는 꼭 해야 하는 사람이 되었습니다.

그래서 저에게 36분은 가벼울 수 없는 시간입니
다.
3시간이었다가 2시간이었다가 수백 번을 반복한
경험의 시간입니다.

밤새벽

저에게 밤, 새벽은 특별한 시간이에요.
밤엔 한없이 나를 마주하려 녹아들어요 밤에는
한없이 물속, 아니 심해로 빠져든다고 할까요.
저에게 밤은 나를 마주하는 시간이에요

밤에는 세상이 멈춘듯한 칠흑 같은 어둠이 말을
걸어오는 것 같아요
낮에는 회사 생활, 잘 보여야 하는 사람 등등 그
런 네가 아닌 온전히 나라는 사람을 마주해보라

고요, 이 책 에세이를 쓸 때 억지로 짜내서 쓰지
말자라고 매일같이 다짐했어요 그건 제가 아니니
까요 그래서 긴 숨으로, 빠르지 않게 나만의 속도
로 써내려왔습니다.
온전히 나라는 사람을 넣어놨습니다

당신도 특별한 시간대가 있나요??
당신은 어떤 사람인가요??

"저에게 밤, 새벽은 나를 찾아가는 여행"

생일

우리 엄마는 내 생일 이틀 전엔 꼭 물어보는 게
있다
"미역국 끓여줄까?"라고 이십여 년 동안 들었던
말이지만 이제는 그 말이 가슴을 먹먹하게 만든
다 내가 태어난 날,, 엄마가 축하받아 마땅한 날
인데,,
정작 본인 생일은 잊으시면서 엄마는 나를 위해
미역국을 끓인다 그럴 때마다 눈시울이 빨개진다

나는 "세상에 공짜는 없다"라는 말을 좋아한다 공짜
가 없는 세상에 부모님은 늘 예외다.
언제부턴가 희생이란 단어가 부모님 같다

요즘 문득,
시간에 소중함을 느끼면서 자연스레 부모님 생각
이 든다,
부모님도 나처럼 꽃다운 나이가 있었을 텐데,
나처럼 좋은 것만 먹고, 보고, 놀고 하고 싶을 텐
데 하며 한숨이 절로 나온다,,
내가 부모님의 꽃을 내가 꺾은 거 같아서,
나 때문인 거 같아서 가슴이 먹먹하다

매년 미역국을 끓여주시는 엄마 등 뒤로
"난 다음 생에도 엄마 아들로 태어날 거야"라며
흘려본다.
낯간지러운 성격에 '사랑해' 한마디를 못했지만
이 책을 통해 전해보려 한다.

"항상 고맙고, 또 고맙고, 많이 사랑한다고"
"그리고 미안하고, 또 미안하고, 계속 미안하다
고,"

"엄마의 시간이 멈췄으면 좋겠다"
-엄마의 친구이자 연인, 아들 올림-

·

28 나는

등산

나는 30대까지 취미가 없었다.
처음으로 취미를 가진 것이 등산이었는데
등산을 하며 "과정의 행복"을 배웠다
개인적으로 새벽 등산을 좋아한다
이유는 "남들 자는 시간에" 라는 특별한 기분 때문
이다
(혹시라도 등산을 해볼 계획이라면 새벽 등산을
추천해 본다)
등산을 하며 행복함은 올라가는 순간이다

올라가는 순간에 산의 정기만큼이나 순도 높은
대화를 한다.
문득, 언제 이렇게 순수한 대화를 해봤나 생각이
든다. 30대가 되고 나서는
술 먹고 술기운에 하는 대화가 일상이었다
등산을 하면서 잊고 있던 순수함을 깨우친다
혼자일 때는 나를 알아간다, 두 명일 땐 성장의
대화를, 여럿일 땐 순수한 즐거움을,
정말 맑다는 말이 잘 어울리는 과정이다

정상에 도착하면 기록을 남긴다.
나는 40대 이 전에 200개의 산을 목표로 하고 있
는데 정상은 40대가 되어 바라볼 과정의 행복일
것이다 기록을 남기며 40대에 바라볼 30대에 추
억을 엿본다.

내려오는 발걸음은 언제 힘들었냐는 듯이
새소리의 경쾌함에 맞춘 듯이 춤추듯 가볍게 내
려온다.

내려오며 식사 메뉴를 얘기하고, 다음 등산 계획
을 맞춰본다.
이 또한 기대감의 행복이다.

이렇듯 모든 과정이 행복이다.

"등산이 기다려진다"

영화

저는 한 달에 영화를 한편을 꼭 챙겨 보는 편입
니다. 많으면 두 편도 보는데, 혼자서 보는 것을
선호합니다
혼자서 보게 되면 영화 안에 소품, 행동 등등에
의미를 찾으려고 노력하면서 보는 편입니다.
그리고 이런 생각 히는 걸 좋아합니다.
생각해 보면 이런 게 일상 속에서 도움이 되는
것 같아요.
어떤 사람을 만나게 되면 말하는 어투, 행동을 생

각하게 됩니다.

그리고 저는 재밌는 영화 같은 경우에는 두 번을
본답니다.

꼭 어머니를 모시고 가서 봅니다.

물론 다 그러신 건 아니겠지만
"부모님들은 영화나 여행 등등 굳이 안 해도 되는
걸 나서서 하지 않으세요"

그래서 저는 유명한 영화나, 의미 있는, 재미있는
영화는 어머니랑 다시 한번 꼭 봅니다.

자식이 안 해주면 모릅니다.

음식도 내가 맛있는 건 당연히 부모님도 맛있어
합니다. 부모님들도 저희와 같은 사람이니까요

이렇듯 처음부터 저도 이런 행동을 한 건 아닙니
다 어머니가 "영화 이거 보러 가면 안 돼?"라고
해서 이거 왜?? 라고 하니 "엄마 친구들은 다 봤대
"라고 하는 거예요 나의 불효에 얼굴이 뜨거워졌습
니다.

그때부터 이젠 영화를 생각할 때마다, 볼 때마다
어머니 생각이 납니다.
그래서 영화가 다른 의미로 저에겐 특별합니다.

속을모르는사람

누군가가 저에게 너는 이중적인 사람이야
라고 이야기를 해요, 처음엔 철 없이 밝고 사람들
과 어울리는 걸 좋아하는 사람이라고 생각했다고,
하지만 조금 깊이 들어가 보면 네가 평소에
무슨 생각을 갖고 있는지 모르겠어
어려워라고 말하더라고요

이제야 말해봅니다.
"다른 건 모르겠고, 나보다 널 더 생각해" 그건 확

실해 나는 누군가를 더 챙겨주고 배려하는 것이 나의 행복에 가까운 사람이라고요"
그리고 나의 챙김과 배려에는 대가는 없다고 말해줍니다.

마지막은 항상 "그럼 됐지?"

캘린더

저는 달력을 좋아합니다.
달력에 특별한 날, 해야 하는 일들을 체크해가며
한 달을 무던히 채우려고 노력한답니다.
그리고 문득문득 지난날에 나를 돌아보기도 한답
니다.
"이날 재밌었지" "이날 힘들었었는데" 하며
그때의 감정을 간접적으로 다시 느껴보곤 한답니
다.
그것 또한 나에게 주는 선물 같아요

한 달을 빨갛게 채운 캘린더를 보며
열심히도 산다라고 느끼며, 나는 참 사랑받는 사
람이구나라며 긴장감을 줍니다.

하루하루, 매일을 생일같이 생각하고 기록하는 것
그것들이 모여 한 달이 되고, 일 년이 되며
나라는 사람을 설명하고 대체하게 하는 것

"캘린더"

만원

여러분은 만 원이 있으면 어디서 쓰실 건가요??
누군가는 담배를, 누군가는 밥을, 여러 방면으로
차이가 있겠죠
저는 만 원이 있다면 커피 마실 생각부터 해요,
누구를 만나지라며 시간을 나누고 싶어요,
생각해 보면 학교 다닐 어렸을 때부터 그랬던 거
같아요,

주머니에 꼬깃꼬깃한 만 원짜리 한 장에 마음이

꼭 찼고 편의점 앞에서 쿨피스 하나에 하하 호호 웃으며 떠들던 그 시절이 그리운지, 아직도 그러고 다닌답니다.

시간만 있으면 친구들 얼굴이라도 보려고 노력해요 이 시간들에 행복함을 느끼고, 만나는 친구들도 기쁨과 위로가 되었으면 하는 마음이랍니다.

오늘 힘든 일이 있더라도 피식하면서 웃을 수 있는 그런 짧은 시간이 되었으면 하는 마음이에요

오늘도 내 안에 행복의 기운이 친구들에게도 전해졌으면 좋겠습니다

의리

삶을 살아가는데 의리는 정말 필요하다고 생각합
니다.
저에게 의리란 ˝따듯함˝입니다.

저는 20대 중반 성인이 되어서 왕따를 당해본 적
이 있어요.
모임과 모임이 합쳐진 9명이었는데 저에겐 9명이
전부인 시절이었습니다.
근데 그중 한 명이 제가 맘에 안 들었는지 저만

빼놓기 시작했습니다.

저를 빼고 한명 한명 따로 연락하고 단톡방을 따로 만들고 모임을 갖고 만나서 다 같이 사진을 찍고 보란 듯이 제가 같이 있는 단톡방에 올리더라고요

화나기도 했지만 사람이 참 무섭구나 싶었기도 하고 서운함이 컸습니다.

제가 서운했던 건 그렇게 많이 모임, 여행을 가졌음에도 불구하고 누구 하나

걔는? 이라는 단어를 단 한 번도 하지 않았음에 서운했습니다. 제가 잘못되었나 되돌아보는 계기가 되었으며 관계 개선을 위해 노력했지만 안되었습니다.

그러던 중 30대가 되고 나서 사과하고 싶다며 본인이 아닌 다른 사람을 통해 전하는 걸 보고 내가 잘못된 게 아니었다는 생각에 참 다행이라고 생각했습니다.

물론 저는 트라우마가 컸기에 사과는 받아주지 않았습니다.

하지만 그때의 힘듦이 지금의 저를 만들어준 것
같아요. 현재 많은 친구들과 모임이 있지만
약속을 잡고 못 나오는 친구는 따로 찾아가서
얼굴이라도 보고, 커피라도 마시려고 노력 한답니
다 그들 덕분에 따듯함을 배웠습니다.

한번은 드라마를 보다가 와닿은 대사가 있었는데
"불행이 있어야 행복이 있다"

그렇기에 저는 그때의 힘듦을 잊지 않고 더욱더
따듯해질 예정입니다.

이미지사진

30대가 돼서 정말 많이 느낀 것 중 하나는 ”사진
“입니다
시간이 지나고 나이를 먹다 보니 남는 게 사진 밖
에 없다는 걸 많이 느낀답니다.
친구들과 찍은 사진을 보면 그 시간들이 생각이
나요
그걸 보고 있으면 나도 모르게, 잊기 싫어서 친구
한테 전화를 하고
“그때 기억나??”

라며 나의 기억을 공유하고 내가 잊어버리면
네가 알려줘라고 혼자 속마음을 전해봅니다.
저는 친구들과 사진을 많이 남기는 편이에요
나이를 먹으니 인상적인 날이 친구들을 만나는
날이 되더라고요

"나와 짙은 한 시간대에 향수를 여행했던 사람들"
어쩌면 나보다도 나를 더 잘 아는 사람들
지나고 보니 절대 가벼운 시간들이 아니었음을
중요하지 않다고 생각 해지만 이제야 아는 것들

사진을 보면서 한편으론 기다려주지 않는 나의
시간들에 기억들이 야속기만 합니다
그러니까 "사진 많이 남기자"라며
만나면 헤어지기 아쉬워서 시간만 보는 저는
오늘도 만남을 약속합니다

바지런하다

친한 친구 한 명이 저녁을 먹으며 "넌 참 바지런하다"라는 말을 했어요.
부지런하다는 뜻은 알겠는데 바지런은 모야??라며 물음을 했어요.

친구가 "놀지아니하고 하는 일에 꾸준하다"의 표준어라고 하더군요.
듣고서 기분이 좋았습니다. 그러곤 되돌려주고 싶은 마음이 컸어요.

그래서"같이 있는 너 또한 같은 사람이야"라며 웃음꽃을 피워봅니다.

집에 돌아오는 길에 그런 생각이 들었습니다.
나는 저렇게 말할 수 있을까?? 라며 나에게 물음을 해봅니다.
그러면서 "새끼 마음 참 곱네"라며 피식거리며 따듯함을 배워봅니다.
지금 글을 쓰며 친구에게 "참 인상적인 말로 인해 특별한 하루가 된 거 같다며 고맙다고 전해봅니다.

오늘 24.03.13일 친구가 메시지를 보고 하루가 기분 좋아졌길 마음을 전해봅니다.

TOP2

사람은 고쳐 쓰는 것이 아니라는 교훈을 준 이들
이 있다.
나를 이용만하고 아래로 봤던 이
나를 이유 없이 왕따시킨 이들이 있다
그런 강제적 경험들이
나, 자신, 본인의 가치에 대해 배움을 줬다.
내가 썩었으니 똥파리만 있는 것이다.
요즘 내가 제일 많이 듣는 말은
"넌 진짜 옛날과 비교해 보면 다른 사람이다"

그런 말들을 들으며 생각해 보니 내가 많이 썩어 엇구나 생각해 본다.
이때 나는 정신병이 있는 거 같다며 피식해본다.
그 친구들 덕분에~라며 감사함이 왜 생기는지 모르겠다, 그리고 나는 대쪽 같은 성격장애가 있다.
어느 날, 갑작스러운 연락으로 사과하고 싶다고 한다 나는 그들이 어떻게 사는지 관심이 없다
사과는 시간이 많이 지나서 받아줄 법도 하지만 본인이 연락하는 것도 아닌 다른 이를 통해
전하는 걸 보며 "역시 사람은"이라며 웃어본다
사과에도 골든타임이 있다고 믿는다.

이 글을 쓰며, 시간이 지나도 그들을 생각해 보니 기분이 좋지 않다. 누군가는 시간 많이 지났으니 받아주지, 적 만들지 말라고 할 테지만 나의 힘듦을 감히 판단하지 말라.
그래도 그들 덕분에 내 인생은 파란만장이다
나는 쥐뿔도 없지만 행복하다
"내   사람들과 계속 행복할 것이다"

우산

저는 차에 우산을 두 개씩 넣어놓는 버릇이 있어
요
편의점 우산을 트렁크에 하나씩 실어놓는답니다.
비 오는 날 비를 피하지 못하고 있는 분들에게
행운을 전해준답니다.

비 오는 날 만나는 분들에게
오늘 하루 기분을 선물해 드려요
물론 저도 그렇게 도움을 받아본 적 있어요

우산을 두 개씩 넣어놓은 게 그때부터 였어요
그렇게 하다 보니 노인분들이 제일 많으시더라고
요.
리어카를 끌고 계시거나, 유모차 끌고 다니시는.
비 오는 날 그런 노인분들 보며 할머니 할아버지
생각에 울컥하기도 해요
내려서 도와드리기도 하고 우산을 전해드려요

진정한 행복은 나눌 때 온다는 말
제가 좋아하는 문구 중 하나인데요.

누군가는 그렇게까지 해?? 라고 하지만
항상 어떤 행동을 할 때 해야 할 이유가 더 많은
사람으로 살아가려고 노력합니다.

나눔의 행동이 전염병처럼 퍼져나갔으면 좋겠습니
다

여행

나에게 여행이란 오류 같은 것이다.
다른 사람들이 보면 물음을 갖기 좋은 말이지만
난 오류라는 말이 좋다.
휴무의 나는 책을 읽고, 블로그를 포스팅하며 운
동을 꼭 하고 쉰다.
말 그대로 나의 루틴을 다 지키며 쉬는 게 나에
겐 휴무다.
휴무와 여행이 의지 차이라고 생각할 수 있지만
나에게 여행은 다른 의미로 특별하다.

여행은 내가 365일 중 유일하게 루틴이 쉬는 날
이다.
나는 2박 3일 여행을 좋아하는데 루틴들 때문이
기도 하다.
나라는 사람은 2박 3일 여행에도
1일째는 출발하기 전에 루틴을 해놓는다.
2일째는 기분 좋게 쉬어주고 3일째는 복귀해서
루틴을 한다.
강박증이라고 할 수 있다. 하지만 그게 나의 행복
이라면??
나는 기꺼이 강박증이라고 할 수 있다.
나는 그런 사람이다.

한번은 마음이 너무 힘들어서 혼자서 여행을 가
본 적이 있다.
이때 여행이 오류라는 생각이 들었다.
평소에 나는 내가 좋아한다고 정의해 놓은 것들
에 대해 먹고 행동하는 사람이지만
여행에서 나에 대해 새롭게 알게 되었다,
나는 다른 지역으로 여행을 가면 꼭 그 지역에

맛집을 찾고 오픈 시간에 기다리더라도
먹는다, 근데 혼자 여행을 가보니 나는 그것을 좋
아하지 않았구나 생각이 든다.
나는 차도 없이 4시간을 거쳐 순천 여행을 갔었
는데 이날 순천만 습지에 갔다가 교촌치킨을 먹
었고,
2일째는 혼자 100대 명산인 조계산에 가려
고 했으나 헤드폰을 끼고 정처 없이 걷다가 눈에
보이는 이름 없는 산을 올라갔다 왔다.
이날은 식당 이름도 기억 안 난다 배고파서 아무
데나 들어갔다.
이때 나는 처음으로 하고 싶은 것을 했다

여행 계획을 짜고 갔지만 처음부터 끝까지 오류
였다.
나는 나의 틈에서 나를 찾아냈다.

오류였다.

군대

나는 축복받은 사람이라고 처음으로 하늘을 믿어
보게 한 군대이다.
군대는 나의 도피처였다, 나는 빠른 93년생으로
졸업을 해도 친구들과 술집에 가지 못하지만
나이는 올려쳐야 하는 참 이도 저도 아닌 나이였
다.
고등학교 졸업 후 군대에 바로 가려고 했으나 19
살이라는 나이에 걸려 입대가 안됐다, 이때 다행
히 특기병이라는 제도로 입대했다. 도피처라는 건

집안이 너무 힘들었기 때문이기도 했지만 공부에
대해 뜻이 없어서 대학도 안 갈바엔 어차피 다
녀와야 되는 거! 라는 마음으로 입대했다.
이때 훈련소에서 엄마의 소중함을 느껴본다.
훈련소 전화기는 눈물의 전화기다, 나뿐만 아니라
모두 첫 통화 엄마 목소리에 대성통곡을 한다.
우리 엄마는 항상 강했지만 우리 엄마도 엄마는
처음이었다.

논산훈련소에서 입대할 때 엄마는 눈물 한 방울
흘리지 않았지만 나중에 아빠에게 들어보니
돌아오는 길에 휴게소마다 쉬었고 엄마가 엄청
울었다고 했다.
그리고 밤마다 기도하며, 엄마는 눈물로 나의 훈
련소 기간을 기다리셨다.
나에게 참 과분한 사람이다.

훈련소가 끝난 후

엄마의 눈물이 마르면서 하늘에 닿았던 건지 나는 그 많은 훈련병들 중에 특별한 곳으로
배정받았다. 그곳은 육군사관학교 기간병이었다.
당시 선임들이 제일 많이 하던 말이 넌 로또 맞을 거 여기 쓴 거라고 했다.
지금 와서 생각해 보면 그 어린 나이에, 그곳에
배정받을 확률을 생각해 보니
엄마의 눈물이 만든 것이 맞는다는 확신이 든다.

요즘엔 군대를 시간 버린다고 안 좋은
이미지로만 안 가려고 하지만 나는 다녀오는 걸
추천한다.
평생 한 번밖에 없을 경험이고 많은 걸 배운다.
나는 그곳에서 친구, 지인들로의 인연이 아닌 살을 맞대고 부대끼며 2년을 가족처럼 지낸
특별한 인연들을 만났고 아직까지 연락 중이다.

이곳에서
처음으로 엄마에게 눈물을 바치고
힘듦이 있지만 같이 버텨주는 사람들이 있다.
이렇듯 나를 사람으로 처음 제련해 준 곳이 군대
이다.

편법

저는 블로그를 운영하고 있습니다.
블로그의 취지는 일기장이었습니다.
블로그를 운영하다 보니 매일 쓰는 게 귀찮아지
더라고요.
그래서 시험 보기 전 벼락치기처럼 "임시저장"이
라는 편법을 찾아냈어요.

벼락치기는 습관이 될 수 없죠

결국엔 귀찮음이 지배하게 되어서 하지 않게 되었습니다.
패배감이었습니다.

나는 무엇을 위해 블로그를 쓰기 시작했지??
내가 행복하기 위해서 시작한 거 아닌가??
귀찮다는 건 그동안 나는 행복하지 않았나??
꼬리에 꼬리를 무는 패배감이었습니다.

그러면서 주변에 꾸준한 사람들을 보며
원인과 방법을 찾아보게 되었어요.

결론은"내 편안함을 추구하는 편법"이었습니다.
편안함을 내려놓으니 행복이 찾아왔습니다.
현재는 행복하게 블로그를 운영하고 있습니다.

지름길보다 진흙길을 찾아가는 사람으로 나아가
시길 바라겠습니다.

꿈

저는 하고 싶은 게 없는 사람이었습니다.
내가 무엇을 잘하는지, 어떤 걸 좋아하는지,
싫어하는지에 대해 궁금해하지 않았어요.
참 못 낫죠??

그냥 살아있기에 사는, 그런 사람이에요
학생 때 꿈을 적는 물음에 항상 "빈칸" 이었습니다
지금 또한 무엇이 되고 싶다는 건 없습니다.

그냥,, 모든 것에 최선을 다할 뿐이에요.
그러다 보니 그냥 나를 찾게 된 것뿐.

저는 삶에 물음이 생길 때면 종종 밤하늘에 별
을 봅니다, 항상 삶이 주는 물음은 막막하기만 해
요.
밤하늘은 까맣지만 별이 반짝이는 건 알 수 있듯
이 저 별처럼 나도 나에게 그러하면 되지 않나라
는 생각을 해봅니다.

지금도 무엇이 되고 싶다는 욕심이 없습니다.
하지만 "지금 이대로"가 충분한 사람이라는 건 알
고 있습니다.

밤 하늘에 별을 보며 항상 새기는 말이 있어요
"이 별들은 모두 나를 위해 빛나고 있는 것" 이라고
-더 복서(웹툰) "

"저는 그냥인 사람입니다"

제2화 생각

만나이

대한민국은 23년 중순부터 한 살씩 어려지기로
했다.

나에게 만 나이란, 일 년의 가치를 알게 해준 특
별함이 있다.

33세와 32세의 기분 값은 다르다.

33세일 때는 이제 중반을 봐야 한다며 이런저런
걱정이 생긴다.

그러다 32세가 되니 아직 젊다며 마음속으로 간
사함이 들어온다.

나는 마음이 간사함을 기회 삼아 "어차피 공짜 일
년인데"라며 특별함을 더 부여해 본다.

평소 다니지 않던 여행도 가보고
책도 더 많이 읽고
운동도 더 열심히 했다
"공짜니까"
새삼 공짜라는 말의 힘이 대단하다고 느껴진다.
사람들은 공짜라는 말을 들으면 그게 무엇이든
공짜로 우선순위가 바뀐다.
물론 나 또한 그렇다, 공짜라는 말이 어쩌면 도파
민일 수도 있겠다.
그렇게 지나고 보니 32년 중 가장 비싼 일 년이
었다

"그래서 앞으로 계속 공짜로 살기로 했다"

편지

여러분은 누군가에게, 누군가로부터 편지를
주고받은 적이 있으신가요??
편지란 그 자체만으로도 근사한 표현 수단이라고
생각해요
편지지를 고르고 예쁜 펜을 골라서 쓰는 그 순간
마저도 받는 이를 생각하기 때문이죠.
저 같은 경우는 부모님에게는 말로는 사랑한다고
낯간지러워서 표현 못 해도 편지로는 표현하게
되더라고요.

또, 안에 적힐 글들은 말로 표현할 수 없는 썼다
지우고 썼다 지우고 하며 할머니의 공깃밥처럼
꾹꾹 눌러 담은 마음이니까요.

편지가
어떤 이에게는 풋풋한 사랑일 수도 있고,
어떤 이에게는 감사함에 표현일 수도 있겠지요.

다만, 그 마음은 모두 받는 이를 사랑하기 때문이
랍니다, 마음을 전해보세요

책임

책임이란, 단어만으로도 무겁게 느껴집니다.
책임감이 생긴다는 건, 성장해가고 있다는 증거
하루에 눈 뜨는 순간부터 선택과 책임이란 길목
에 있습니다.
알람 소리를 들으며 "십 분만 더" 라며 늦을 걸 알
면서도 선택하듯이 이렇듯 매 순간 선택을 해야
합니다.
우리는 선택을 하고, 기쁘기도 하며
후회도 합니다.

하지만 선택은 "경험"을 주고
책임감은 나를 올바르게 합니다.
그렇기에 성장할 수 있습니다.
행여 잘못된 선택했다고 해서 자책하며 머물러있
지만 말아요,
"그 선택 또한 다음을 위해 지나가는 것일 뿐"
우리도 오늘 하루가, 내 인생이 처음인 사람입니
다 그럴 수 있습니다.

"선택은 신중하게 책임은 무겁게 경험은 감사하
게"

당신의 선택이 항상 맑음이기를 기도해 봅니다.

선입견

저는 선입견이란 꼭
필요한 생각이라고 생각합니다.
선입견이란 "이미지" 같습니다.
그리고 선입견만큼 저를 돌아보게 하는 것이 없
습니다.
저에게 선입견이란 성장의 동력입니다.

우린 학생 시절에도
공부 잘하는 친구 못하는 친구를 나누고 체육도

잘하는 친구 못하는 친구를 나눕니다.
이렇듯 선입견은 나 자신, 내가 만드는 것입니다.

그리고 선입견은 사람한테만 향하지 않습니다.
어떠한 물건이 될 수도 있고, 음식이 될 수도 있습니다.
특정하여 무엇이라고, 정의하지는 못하지만
물건이면 = 회사의 이미지, 음식이면 = 가게의 이미지를 돌아보고 성장시킬 수 있습니다.
사람도 똑같습니다.
좋은 쪽이든 나쁜 쪽이든 나의 선입견을 바꿀 수 있는 건 나밖에 없습니다.
다만, 부족함을 노력하여 사람들의 입을 닫게 하고 박수를 치게 만드는 "해내는 사람"의 선입견이 만들어질 때 그 에너지는 엄청납니다.

선입견은 밝음 과 어두움이 공존하는 것 같습니다.

"여전할 것인가 역전할 것인가"

대화

대화의 시작은 "경청" 입니다.
그리고 그 안에 존중이 있습니다.
대화는 곧, 관계로 이어지기 때문에 중요합니다.
존중이란, 높이어 귀중하게 여김이란 뜻입니다.
내가 존중받길 원하면 먼저 상대방을 존중해야
합니다. 그 누구도 가벼운 사람은 없습니다.
내가 누군가에게 소중한 사람이듯이, 상대방도 누
군가에게 소중한 사람입니다.
항상 이 마음으로 무겁게 귀담아들으세요.

무겁게 듣는 만큼, 말의 무게를 생각 안 할 수가
없습니다.
"귀는 친구를 만들고 입은 적을 만든다-탈무드-"
라는 명언이 있습니다.
내가 하고 있는 말이 좋은 쪽이든, 나쁜 쪽이든
듣는 한 사람의 인생을 바꿀 수도 있습니다.
말은 항상 신중을 기해야 합니다.

"관계란 대화의 무게를 안다는 것"

부정 속 긍정

제가 좋아하는 말 중 하나인 "부정 속 긍정"입니
다.
"대처하는 자세"라고 말하는 게 맞는 것 같아요
어떤 부정이 들어와도 긍정을 찾는 자세입니다.

부정적인 생각은 일어나지도 않을 걱정까지 만듭
니다. 그렇게 하루가 망가져가고, 심하면 내일,
한주가 망가집니다.

제가 생각하는 부정 속 긍정이란
본인을 사랑하는 방법을 아는 거라고 생각합니다.
부정에 대해서 어차피 일어날 일이었다며
"다음부터"라는 자세입니다.
이렇게 대처하는 자세가 중요한 건
시간의 소중함과, 나의 소중함을 지키는 겁니다.
그렇기에 부정을 다스릴 줄 알아야 합니다.

"나는 소중하니까요"

미지근한 사람

문득, 자기가 어떤 사람이 되고 싶다는 게 있으신
가요?
살다 보면, 한 번쯤 생각해 보게 되는 것 같아요.
저는 미지근한 사람이 되고 싶다고 생각한답니다.
너무 뜨거우면 항상 뜨거울 수는 없기에 식기 아
쉽고 그렇다고 차가우면 뜨거워지지 못할까 봐
무서워서 그래서 뜨겁지도, 차갑지도 않은 중간
정도에 미지근한 사람이 되기 위해 노력한답니다.

도종환 시인님의 산벚나무 中

겨울에 대하여 또는 봄이 오는 소리에 대하여 호
들갑 떨지 않았다
길이 보이지 않는다고 경박해지지 않고
길이 보이기 시작한다고 요란하지 않았다
묵묵히 걸어갈 줄 알았다
절망을 하찮게 여기지 않았듯
희망도 무서워할 줄 알면서

경험치

경험치란 게임에서 나온 단어인데
굉장히 좋아하는 단어 중 하나랍니다.
저는 살아가는 것도 경험치 같은 거라고 생각해
요
내 행동, 내 말투 등등 나라는 사람을 표현하는
것들, 그런 것들이 쌓여서 경험치가 된다고 생각
합니다.

경험치들이 쌓여서 레벨 업을 하게 됩니다.

말을 이쁘게 하는 사람들은 그런 사람들만 만납니다.

"왜" 이쁘게 해야 하는지를 서로 아는 겁니다.

1만 할 때는 1만 하는 사람들끼리 만납니다.

2를 할 때는 2를 하는 사람들끼리 만나게 되어있습니다.

내가 행하는 것들이 긍정이든 부정이든 그렇게 모이게 되어있습니다.

초로 동색이란 사자성어 같아요.

"풀빛과 녹색은 같은 빛깔"

한 번 사는 인생 좋은 사람들과 함께하고 싶습니다.

오늘도 경험치를 쌓기 위해 노력합니다.

나, 너

누군가가 너라는 사람을 말할 때 내가 나왔으면
좋겠어.
내가 너라는 사람에 인생이란 책에 한 페이지 싶
기도 하고 너라는 사람이 내 인생에 한 페이지로
남기고 싶어

아 걔?
"누구 친구잖아"
그 말이 맑았으면 좋겠어

그냥 나라는 사람이 그래
모든 사람들이 좋은 말만 듣고 싶듯이
나도 그렇고 너도 그렇고
항상 맑은 말들만 듣자

"고마워"

씨앗

나이를 먹다 보니 30대가 되어보니 아는 것 중 하나인 게 "뿌린 대로 거둔다" 입니다.

내가 먹은 건 살이 됩니다. 내가 운동하는 건 건강에 도움이 됩니다.

이렇듯 내 행동, 내 언행, 내가 행하는 모든 것들입니다.

저는 이것을 씨앗 같다고 표현해요

저는 현재 30대 초반인데요, 40대가 기대될 수

있도록 살아가는 중입니다.

한편으론 20대에 아무것도 하지 않고 보내버린 시간들이 아깝습니다.

후회한다는 건 아닙니다.

그때 그 시절이 있었기에 현재가 있다고 믿습니다. 나만의 속도로 앞을 향해 달려가고 있다고 생각한답니다.

그러면서도 이제는 시간의 소중함을 알기 때문에 주변에서 너무하다시피 움직이는 경향도 있습니다. 시간은 무한하지 않고, 내 몸은 노후되는 게 무섭기 때문입니다.

그렇기에 오늘도 하루를 부지런히 채우려 노력합니다.

행동의 씨앗을 뿌리면 습관의 열매가 열리고

습관의 씨앗을 뿌리면 성격의 열매가 열리고

성격의 씨앗을 뿌리면 운명의 열매가 열린다

-나폴레옹- 말이 있죠

"이 모든 것들이 모여서 꽃피우기를 기다려봅니다

재능과 노력

사람들은 재능 있는 사람들에게 특별함을 부여해
요 티브이에 나오는 운동선수들을 보며, 연예인들
을 보며 "재능이 있네"라며 생각한답니다.
저는 그런 분들은 재능이었을까 노력이었을까를
생각합니다.
저는 재능만으로는 아무것도 할 수 없다는 생각
을 가진 사람입니다.
재능도 노력이 있어야 꽃피울 수 있으니까요

물론 저도 주변에 재능이 있네라고 생각하는 사람들이 보입니다.

하지만 재능이 있다고 해서 미래까지 책임져주지는 않더군요.

그에 비해 노력은 조금 다른 의미라고 생각합니다. 노력이라는 건 감히 누가 평가할 수 없습니다. 나라는 사람이 어떤 사람인지, 무엇을 좋아하는지에 대해 물어보고 답해본 사람들이기 때문이죠.

신은 우리가 성공할 것을 요구하지 않는다.
우리가 노력할 것을 요구할 뿐이다.
-마더 테러사-
이 말이 제일 와닿습니다.

그래서 저는 노력이 제일
특별한 재능이라고 생각해요

저는 오늘도 그 누군가에 노력에 응원을 보냅니다.

겨울, 눈

저는 특별히 좋아하는 계절이 있어요.
겨울입니다, 한 겨울에 눈을 좋아하기도 하고
개인적으로 겨울을 좋아하는 분에게 정이 많아요.

겨울만큼 계절로 인해 사람에 감정이 극과 극으
로 나뉘는 계절이 없다고 생각해요.
저는 겨울에 눈이 오면 그렇게 좋아한답니다.
눈 내리면 눈사람 만들어야지 생각이 먼저 들어
요.

그러면서 등산의 설산의 풍경을 상상하고
붕어빵과 어묵 생각도 하며 따듯한 국물에
좋아하는 사람들과의 소주 한 잔이 생각나요.
하지만 누군가는 쓰레기가 날린다고 생각하고
운전 걱정을 하고, 약속도 취소하며
"눈 때문에"라며 근심과 걱정으로 하루를 채우기
시작해요.

어차피 오는 거 기분 좋게 맞이해보세요.
한편으론 겨울에 눈이 없다고 생각하면 또 아쉬
울 겁니다.

눈처럼 맑고 깨끗한 마음으로 세상을 바라보시길
바래요:)

배움의 자세

저는 일상 속에서 많은 걸 느끼는 사람이에요.
등산을 하면서도, 러닝을 하다가, 밥 먹으면서 예
능을 보다가도 어느 한 장면에 마음이 울리곤 한
답니다.

어떤 예능을 보다가 나이 많으신 할머님이
나오시더라고요.
한 방송인이 나이가 지긋하신 마트 할머님에게
은퇴하실 나이가 아니시냐는 말에

재밌는데 은퇴를 왜 해??라는 말을 하시더라고요
머리를 탁 맞는 듯했습니다.
"삶이 단단하고 아직 뜨거운 청춘이시구나"라며
옷을 입으며 나의 게으름에 꾸짖어봅니다.

친구들과 등산을 하면서도 새벽같이 가는데
앞서 내려오시는 지긋하신 부모님 나이 때의 분
들을 보며 진짜 "나이는 숫자에 불과하다 하며 깨
우쳐봅니다"

러닝 및 자전거를 달리고 타면서도 나이 많으신
분들이 젊은 층들을 지나쳐 오랜 시간
달리는 분들을 보며 "젊다고 꼭 체력이 좋은 거도
아니라고 나도 저렇게 돼야 한다며
목표를 설정해 봅니다"
몇 가지 저에 대한 예시를 들어봤는데요, 쓰다 보
니 감사함뿐이네요.

"마음을 울리게 하는 수많은
일상들에게 감사함을 전해봅니다"

게으름

저는 게으름이란 사람이 가진 본능이라고 생각합니다. 누구 하나 할 것 없이, 전부 인간이라면 기본적으로 가지고 있는 것이라고 생각해요

게으름이라고 해서 꼭 나쁜 것 만은 아니에요
주변에 보면 그런 사람들이 있어요.
"남에게는 넉넉한 사람이지만, 본인에게는 엄격한 사람들" 꾸준한 사람들이라고 하죠.
그런 사람들에게는 게으름이 휴식인 거 같아요.

하지만 그렇지 않다면

나는 시간이 없어, 오늘 일이 힘들었어하며

나를 합리화하며 시간을 그냥 흘려보내지 마세요.

시간은 영원하지 않아요.

왜 나이 많은 분들이 "30대 되면 40 금방 온다"

라는 말이 30대가 되어보니 피부로 와 닿아요.

하루가, 일주일이, 한 달이, 일 년이 이렇게 짧았

었나 내 나이가 벌써 이렇게 됐네 라며 생각해요

저는 요즘 들어 친구들에게 많이 해주는 말이 있

어요

"행복한 사람은 경험과 추억이 많은 사람인 거 같

더라"입니다.

현재보다는 미래에 나를 위해

게으름은 잠시 내려놓으셨으면 좋겠습니다.

합리화가 습관이 되지 않으셨으면 좋겠습니다.

감정

저는 감정을 온전히 느끼려고 하는 편이에요
그게 바로 진실성, 바람직한 삶이 아닐까라는 생
각을 하곤 한답니다.
기쁨, 슬픔 수많은 감정을 피하지 않고, 걱정하지
않고 나만의 방식으로 느끼려고 한답니다.

감정이라는 건, 하루에도 수십 번 바뀌는 거 같아
요. 매일 아침에 피곤함이 퇴근할 때 기쁨으로 바
뀌는 것처럼요.

감정을 온전히 느끼다 보면 내가 무엇을 할 때
제일 나답다는 걸 느끼기도 한답니다.
주변에서 저를 보면 "항상 밝은 사람"이라는 수식
어가 있습니다.

하지만 저는 외로운 사람입니다.
그래서인지 혼자 있을 때 더 안정감이 들어요
남들보다 더 가라앉아 있는 예민한 사람이라고,
감정을 온전히 느껴보니, 그 예민함을 즐길 수 있
더라고요 개운이라고 하죠.
"올바른 나만의 방식으로"

결국 살아간다는 건 진실성, 나다움을 찾는 거라
고 생각해요

"회피하지 말고, 온전히"

태도

저는 삶이라는 건, 태도가 전부라고 생각하는 사
람이에요.
최선을 다하는 게 최고가 되는 것보다 가치 있다
고 생각합니다.

제가 생각하는 태도란
"굳은 일은 내가 먼저" 곧, 사소함에 정성을 다하
는 태도를 존경합니다.
일상에 정성을 다하면 일상에 풍경이 달라집니다.

하루를 긍정적인 마음으로 대처하게 만들어줄 겁
니다.
그렇게 하루라는 시간 속에서 경치가 보이게 되
고 그 경치는 끝나지 않았으면 하는 가을에 따듯
하지만 시원한 바람 일 겁니다.

그래서 저에게 "시간이 부족해"라는 말은 꽤나 의
미 있습니다. 그렇게 24시간이라는 행복이 있음
을 알게 됩니다.

패왕색

원피스라는 애니를 알고 계시나요??
그 애니에서 패왕색이라는 말이 나와요
타고난 사람만 할 수 있는 "압도" 라는 것인데
저는 그걸 보고 현실에서도 있다고 생각 들었습
니다.

현실에서는 "말의 품격" 이라고 생각합니다.
그런 사람들 있잖아요 말은 따뜻하게,

얼굴은 웃고 있지만 가볍지 않은 분위기를 가지고 있는 분들이 있어요.

제가 만나온 그런 분들은 신경을 바짝 세우게 만든답니다.
말하는 법, 듣는 법을 정확하게 아는 사람들

절대 가벼울 수 없는 사람들 "패왕색"

견문색

이어서 원피스에 나오는" 견문 색 "입니다.
견문색이란 어떤 행동을 하기 전에 알아차리는걸
" 견문색 "이라고 해요
이것 또한 현실에 존재한다고 생각해요

좋은 책을 고르는 방법, 좋은 사람을 만나는 방법
이 모든 것에 공통점은 많이 보고, 많이 만나봐야
한다는 것입니다.

경험이라고 하기도 하죠,, 책을 많이 읽으면 조금
만 읽어봐도 어떤 내용인지
비슷한 내용이겠구나 알아차립니다.
사람도 같은 맥락이라고 생각합니다.

인생이란 여행이라는 말이 있잖아요
실제로 여행을 견문을 넓힌다고 말하듯이

여행자로써
내 인생에서 중요한 것들을 생각해 보고
많이 행동해 보시길 바랍니다.

그것이 곧 ˝견문색˝ 인거 같습니다.

겸손

겸손하지 않으면 아무것도 배울 수 없다.
라는 말이 있습니다.
언제부터인가, 올바른 삶은 무엇일까라는 의문에,
올바른 삶은 겸손이라고 정의했습니다.
겸손이 있어야 배움이 있고, 배움이 있기 때문에
성숙해질 수 있다고 생각했습니다.
그리고 이 모든 것이 올바른 삶 그 자체 아닐까
라는 생각을 갖고있습니다.

겸손은 곧 태도이고, 태도는 행동을 하게 하고
그 행동에는 도덕이 있고, 도덕에 바람직한 행동
들이 배움을 낳는다고 생각합니다.
배움은 올바른 삶, 결국 내 인생에
미덕 아닐까 하며 조심스럽게 생각해 봅니다.
하지만, 우린 불완전한 존재이기 때문에
어제의 나를, 언행을 되돌아봅니다.
그러기에 배움에는 끝이 없다는 말이 와닿습니다.

"과거의 나에게 겸손으로 맞이해봅니다"

나이

어른이 되어간다는 건 가면을 쓰는 것 같아요
문득 나에겐 얼마나 많은 가면이 있나 생각해 본
답니다. 나이를 먹으며 사회생활을 하며, 이런저
런 사람 들을 만나며 나조차도 못 알아보게 더
두꺼운 가면을 쓰는 것 같아요.

이런 제가 무섭기도 합니다.
"순수함"을 잃어버리는 것 같아요
지금 생각해 보면 친구 자전거 뒷자리에 매달려

모래먼지 굴다리 밑에서 삼삼오오 모여 다리 메
아리가 웃음으로 꽉 찾었는데요.

지금은 "왜"라는 물음이 많아진 내가 무섭습니다.

그래서 일주일에 하루쯤은 실속보다는 "낭만"을 찾
아요 어떤 거라고 특정하지 못하지만 "왜"라는 물
음 했던 행동들을 해본답니다.

예를 들면 순수함의 상징 같은 자전거 같은 거요!

순수함이라는 낭만을 찾는다기보단, 지킨다는 표현
이 맞겠네요

다 지키려고 하는 걸 보니 욕심이 많나 봅니다.

"낭만이 있어서 그런가"

인사

"첫인상을 결정하는 가장 중요한 행동"
밥을 먹으러 가게에 들어가도 "어서 오세요"
라는 말 한마디가 참 기분 좋게 만든다.
이렇듯 인사란 첫인상을 결정하는 중요한 행동이
다

나는 언제부터인가 나이에 상관하지 않고 처음
보는 모든 사람에게 고개 숙여 "안녕하세요"를 한
다.

옆에서 너보다 동생이야라고 해도 "처음 뵙잖아
"라고 한다. 절대 말을 먼저 편하게 하지 않는다
내 철칙 같은 것이다.

처음 보는데 반말을 한다면 당연히 형이니까 할
수 있겠지만 나는 그것이 불편하다.

반말이라는 게 친하게 지내보자는 표현이라는 걸
알고 있다.
하지만 나는 존댓말, 반말 두 개를 놓고 본다면
고민 없이 호불호가 없는 존댓말을 고른다.
평소 나의 생각은 그렇다
두 가지 선택지가 있다면 항상 호불호 없는 쪽을
고른다.
이렇듯 나의 기분만큼, 상대방의 기분도 중
요함을 알기에
"오늘도 고개 숙여 안녕하세요"를 해본다.

"인사라는 행동으로 잃어버릴 것이 없는걸 알기
에"

작심삼일

작심삼일이란, 단단히 먹은 마음이 사흘을 가지
못한다는 뜻입니다.
저에게 작심삼일이란 용기 있는 사람입니다.
행동했다는 용기에 박수를 보냅니다.

"시행착오"라고 생각하시면 될 것 같습니다.
삼일을 하고 못한 건, 균형을 찾지 못했을 뿐입니
다.
당연할 수밖에 없습니다. 나의 하루에 새로운 것

이 들어오는데 처음부터
균형을 잡을 수는 없습니다.
다만 삼일을 하더라도 최선을 다하세요.
그리고 오늘 못했다고, 내일까지 포기하지 마세요.
하루하루가 모여서 분명 한달을 만들고 일년이 될
겁니다.

습관에 시작은 "작심삼일" 입니다.
삼일이 있기에 습관이 있습니다.
행동한 당신은 용기있는사람 입니다.

작심삼일의 가치를 모르사람에게 용기란 그릇뿐
이 될 수밖에 없습니다.

변화

사람은 고쳐 쓰는 게 아니라는 말이 있습니다.
공감도 되고 한편으로는 안 좋은~평가라는 수식
어가 붙는 글귀입니다.
저는 그래서 글귀에 변화를 줬습니다.
"사람은 고쳐 쓰는 게 아니다, 다만 본인만이 변
화할 수 있다"
이렇게 바꾸고 보니 객관화라는 말이 잘 어울리
는 글귀가 되었습니다.

철이 든다는 말의 시각화 같습니다. 어릴 적 부모님이 "우리 아들 철 언제 드나"라는 말을 자주 하셨는데 30대가 되어보니 철이 든다는 건 본인 객관화를 통한 변화 같아요

20대의 생일은 나를 위한 특별한 날이었지만 30대가 되어보니 부모님의 두 번째 생일이 되었고, 모든 인연들의 관계의 무게를 알게 되었으며 정답이라고 생각했던 것들을 재해석하게 되었습니다.

이렇듯 변화라는 단어 안에 응축되어 있는 것은 아마 "후회"일 것입니다.
그리고 변화라는 말과 잘 어울리는 단어는 "오늘"입니다.

30대가 갖는 특별함

30대가 되고 나서 30대들은 특별해진다.

사진 찍을 때 엄지들이 그렇다.

지금 20대들은 촌스러워서 엄지를 들지 않는다고
한다,

이래서 어른들이 "나 때는 말이야"를 자주 하시나
보다 분명 20대들도 나중에 신발 하나에도 그거
유행이었는데 할 걸 생각하니, 귀엽다고 생각이
든다. 20대 친구들도 30대가 되면 아마 나와 같은
마음일 거다.

그래서 우린 알면서도 사진 찍을 때 엄지를 든다.
촌스럽다지만 그것만으로도 30대가 특별해지는
것 같다.
아저씨가 갖는 특별함이 좋다.
20대엔 하루에 시작과 끝에 친구가 있었다.
30대엔 자주 보지 못해서 애틋함이 더해진다.
모임에 애틋함이 더해진다.
20대엔 당연시되었던 게 특별해진다.

그런 순수한 특별함이 좋다
"30대란 애틋함이다"

관리

저는 관리하는 사람이 좋습니다.
본인을 가꾸는방법을 아는 것 이라고 생각해요

운동하는 건 내몸을 관리하는 것
머리를 자르는건 용모를 관리하는 것
친구를 만나는건 마음관리를 하는 것

이렇듯 관리라는 틀안에서 우리를 가꾸며 살아갑
니다.

그리고 관리하는 사람이라고 하면 왠지
시간배분을 잘하는 계획적인사람이라는 느낌을
줍니다. 계획이라고 하니 본인과 타협하지 않는
사람이겠구나 생각 듭니다.
계획적이게 되기까지의 노력을 생각 안 할 수 없
습니다.

"오늘 하루쯤"이 없는 사람이겠구나 생각이 듭니
다.
왠지 관리하는 사람은 매력적인 사람 같습니다.

이 시대의 "구미호"

핑계

내가 제일 조심하는 단어이다.

핑계라는 건 행동의 그림자 같아서 내 행동을 핑계로 타협하며 나조차도 모르게 하기 때문이다.

원래 운동은 시간이 남아서 하는 게 아니고 시간을 내서 해야 하는 것인데 사람들은 시간이 없어서라며 핑계를 대곤 한다.

조깅을 하는데 어제 기록이 더 좋았다며 오늘은 앞을 막는 사람들이 많았다며 핑계를 댄다.

앞으로도 이런저런 날들이 많을 텐데
기록을 줄이면 될 탓이다.

운동 같은 경우엔 나는 꾸준한 사람들을 알고 있
다. 특별히 아프지 않은 한, 아니 아프더라도 오
히려 본인들 컨디션 관리를 채찍질한다.

핸드폰이 버벅거린다는 사람치고 껐다 켜본 사람
은 없다, as 맡기려는 사람도 없으며 약정 기간을
찾아보며 불편해도 참고 기간 되면 바꿔야지 라
며 핑계를 댄다.
그중 내가 제일 듣기 싫은 핑계는 "술을 많이 먹
어서"이다
술을 많이 먹어서라는 핑계는 대부분 약속 취소
로 이어진다.
본인의 핑계로 다른 사람이기 피해까지 주는 것
이다.
나라면 그럴 바엔 안 먹고 말 것이다.

내가 만나본 핑계가 습관인 사람들은 "옛날에는"
이라는 말을 달고 산다.
현재를 살지 않고 과거에 영광에 머물러있다.
퇴보할 수밖에 없다.

이렇게 핑계는 행동의 그림자처럼 스며든다.
그래서 조심하고 또 조심해야 한다.
무조건 방법은 있다

이게 의지 차이다

기회

나는 신이 있다면~을 믿지 않는다.

개인적으로 그 시간에 나가서 걷는 게 더 도움이
될 것이라 믿는 사람이다.

신이 있다면 이는 말에는 요행이 담겨있다.

누군가는 일확천금을, 나 힘들어요 라는 등 일 것
이다.

영화나 드라마에서 나오듯

결국 "기회"를 달라는 것인데

좋은 직장을 갖게 해주세요 라는 말에

해보지도 않고 눈만 높아져서 시간만 보내고 있
지 않는가?
좋은 사람 만나게 해주세요 라는 말에 본인은 집에
누워만 있으면서 상대방은 자기관리며, 이것저것
따지기만 하지 않는가?

내 생각에 신이 기회를 준다는 것은
사람을 통해 주는 것 같다.

결국 기회라는 건 준비되어 있는 사람이 갖는 것
이다.
직장이든, 연애든, 사업이든 그 모든 것에
운이 작용하는 건 당신의 언행과
인품일 것이다.
누군가는 당신을 보고 있다.

선행은 돌고 돌아 어떠한 형태로든 돌아온다는
말이 있다.
당신이 누구인지 보여주길 바란다.

조심성

내가 지금부터 말하는 것에는 "물론 다 그런 건
아니겠지만"이 들어간다
내가 30대 초반을 겪으면서 느낀 점이 있다
사람에 "감사함의 차이"이다.
이 글을 쓰면서 새삼 우리 집이 어렸을 적 가난
함이 감사하게 느껴졌다.

개인적으로 부유한 집안 친구들은 감사함을 느끼
는 경우가 많이 없다. 받는 것들에 대해 배부른

소리를 하는데, 그 얘기들이 시기 질투의 대상이
되는 것을 모른다.
그런 말에 조심성이 없다는 건, 익숙함에 따른 당
연함이 바탕일 것이다.
힘든 집안이 갖는 특별함은 조심성이다.
나는 힘든 집안이었는데 학생 때 학원 하나 가는
것에도 감사했다. 그 마음에는 나도 쟤네들처럼
이 있었다.
그렇기에 감사함에 총량이 틀렸다.

당시에도 누군가는 가기 싫어했지만
나에겐 친구들과의 소통 장소였다.
그런 감사함들이 조심성으로 이어지나 보다.

성인이 된 이후 조심성이 바탕이 된다.
나는 이빨이 없으면 잇몸으로 행동해야 했기 때
문에 자연스럽게 조심성이 생긴다.
시기 질투까지 받을 수 없다
물론 부유한 집안, 힘든 집안에서 태어나서
다 그런 건 아니다

부유한 집안에서 태어나 그 배경으로 귀공자 같은 이들도 있다, 힘든 집안에서 태어나 더 힘든 삶을 추구하는 이들도 있다.

당신에게 "물론 다 그런 건 아니겠지만"은 무엇인가

한계

재밌는 단어 중 하나이다.

나는 한계라는 단어에 하루를 넣었다.

뚫으면 뚫을수록 나의 기본이 된다.

지난주에는 이것까지만 했지만 다음 주에는 이것이 기본이 되며 저것도? 가 된다. 하루가 재밌다.

내가 이런 얘기를 하면 넘치면 부족한 것만 못하다고 말하는 이가 있었다.

되려 물어보고 싶다, 넘친다는 기준은 어디까지인지

매일같이 반복되는 하루, 반복학습에 오히려 내가 나를 옳아 메고 한계를 정한 건 본인이 아닌지라는 생각을 해본다. 한번은 내 운동에 대하여 무리한 유산소는 노화를 가속한다고 누군가가 알려줬다. 걱정해 주는 마음에 감사함을 전하지만, 나는 성장하는 하루가 재밌다.

내가 살면서 무리해 본 적이 있었나?라는 생각을 해본다.

한계라는 건 성장할 수 있는 것 같다.

당장에라도 정작 해야 할 활동은 하지 않으며, 자위하고 금요일 토요일에 나가서 술 먹을 생각만 하는 생각의 한계를 안타깝다고 생각한다.

심지어 술 먹고 다음날 해야 할 활동을 못했다면, 내가 그랬다면 나는 아마 죽는 게 낫다고 생각한다.

한계는 "성장세"이다

하루

하루에 대하여
한 시간에 대하여
모두에게 공편한 것 "시간"
좋은 옷, 좋은 차를 갖고 본인을 꾸미는 것 같이
하루라는 시간을 꾸며보는 것이 어떨까
시간을 꾸미는 것이 근본적인 꾸밈이 아닐까란
생각을 해본다.
누군가에 하루는 명품이다.
누군가에 하루는 매일이 세일이다.

나에게 직장에서 쉬는 한 시간이란
밥 먹는 시간이 아니다. 다이어트를 하며 한 끼의
소중함을 알게 된 탓에 쫓기듯 먹는 걸
싫어서 그런 영향도 있다. 한 시간 동안
블로그를 쓰고, 책을 읽고, 계단을 타고, 회사 뒤
등산을 다녀오고, 러닝을 하고 줄넘기를 한다.
누군가는 하루에 하나 하는 것도
온갖 이유를 갖다 붙이며 릴스와 쇼츠는 볼 시간
은 잇다.
내가 나를 귀하게 생각하지 않으니, 다른 사람도
귀하지 않겠다. 시간이 귀하지 않으니, 다른 사람
에 시간도 귀하지 않겠다.

시간은 모두에게 공평하지만 농도가 다르다.
한 시간의 가치가 이렇다
이런 시간들이 쌓여 하루를 만든다.
자연스레 끼리끼리 법칙이 만들어진다.

"내 하루는 비싸다"

산책

내 글들은 걸으면서 영감을 받아 나왔다고 해도
과언이 아니다.
누군가 맑은 정신을 원한다면 주저 없이 걸으라
고 말해주고 싶다,
나에게 걷기란 다이어트 이후 유지하기 위한 수
단이었으나 현재는 그러한 이유가 아닌 맑은 정
신을 위한 수단이 되었다.

걸으며

나의 하루를 반성하고, 나아갈 준비를 한다.
나의 하루를 피식하며, 웃음을 준다.
나의 하루를 돌아보고, 내일 하루를 계획한다.

나에게 걷기는 정리의 시간이다.
맑은 정신에 걸으며 보고 느끼는 것들은 얼마나
아름다운지 모른다.
봄은 알록달록 꽃들이, 여름은 초록색의 생명력이
가을은 운치 있는 황금빛이, 겨울은 코를 뻥 뚫어
주는 시원함이 있다.
나에게 산책은 휴식을 취하거나 건강을 위해서
천천히 걷는 일이라는 사전적 의미보다
낳을 산, 꾀 책인 것 같다.

맑은 정신이란 꾀를 낳는다.

SNS

의지가 없는 나에게 습관을 만들어준 SNS.

나는 어려서부터 의지박약이었다. 무엇 하나 끝까지 해보지 못했다, 그런 자식이 나 자신한테는 자존심이 있었다.

베테랑 영화에서 나오는 대사 중"돈이 없지 가오가 없냐"라는 말이 딱 맞다.

의지박약에 대하여 고민을 하다가 자존심을 이용해 보기로 했다.

그것이 SNS의 강제성이었다.

예전부터 SNS를 이미지의 양날의 검이라고 생각했다. 책 읽기, 줄넘기, 블로그 등등 나를 성장시킬 수 있는 루틴들을 매일 게시함으로써 강제성을 준다.

혹시라도 내가 루틴 들들 못했을 때 사람들에게 얼마나 가벼워 보일까를 생각하며 자존심을 이용한 것이다.

자존심을 지켜야 하는 "사람들의 눈"이라는 나만의 방법을 찾은 것이다.

사실 누가 보고, 안 보고는 중요하지 않았다, 내 자존심이었다.

그런 강제성으로 루틴을 만들었다.

지금 와서 생각해 보면 강제성으로 깨달은 것은 준비될 때라는 건 없다. 준비는 계속 이유를 만들기 때문이다. 그렇기에 일단 바로 해보는 것이 중요하다는 것을 알았다. SNS라는 주제를 쓰며 우연히 키보드 자판으로 SNS를 입력하니 "눈"이 입력되는 걸 보고 피식해본다.

우연이라도 운명으로 받아들이겠다.

"SNS = 눈"

자기관리

나에게 세상에서 제일 쉬운 것을 물어본다면 다이어트이다.

30대가 되어보니 어떤 것이든 마음먹은 대로 되는 것 하나 없고 마음먹은 대로 할 수 있는 유일한 것은 내 몸뚱이밖에 없었다.

나는 자기관리 하면서
다이어트를 했는데, 제일 큰 이유는 이미지였다,
과체중으로 인해 허리가 안 좋아서 다이어트한

거도 있지만, 사실은 취업난이 제일 강했다, 가진
것도 없는 게 학생 시절에 노력하지도 않았으니
삶이 재난 수준인 건 당연했다 내가 그렇게 만든
것이다. 그렇기에 자기소개서에 이렇다 하는 한
줄 정도가 필요했다. 의도한 건 아니었지만 다이
어트 덕분에 면접에 흥미를 줌으로써 다른 사람
들보다 한마디를 더 할 수 있었고, 의지를 보여줄
수 있는 계기가 되었다.

다이어트는 자리관리에 일부분이다
내가 말하는 자기관리는 용모단정이다.
난 이 전에는 머리도 때에 맞춰 안 자르고, 목도
다 늘어난 티, 그런 것들이 합쳐진 그냥 동네에
담배 사러 나온 아저씨 이미지였다.
이렇듯 보이는 것들, 사소한 것들만 바꿔도 깨끗
한 이미지가 된다.
사실 사람들은 잘생기고 못생기고는 보지 않는다.
그냥 이미지만 보고 사람을 재단한다.
당시에 나조차도 관리하지 않으면서 깨끗한 이미
지인 사람을 좋아했다.

물론 외면만 보고 사람을 판단하면 안 되는 것도
알고 내면이 훌륭한 사람들도 많다는 걸 안다
하지만 인생은 원래 불공평한 것도 알아야 한다.
그렇기에 나는 관리하지 않았지만
내면을 몰라서 그래! 라는 자위는 하지 않았다.
그래서 세상에 눈에 나를 맞췄다.

나는 살아남기 위해 자기관리를 한다.
처음 보는 사람들에게 자기소개서를 들고 다닐
것이 아니라면 자기관리는 필수다.

제 3 화 마음

마음

이 책을 쓰면서 나의 글귀들을 주변인들에게 하나씩 선물해 줬다.
좋은 영향력을 받았기에, 글로 표현된 것이다.
그들이 나에게 마음을 줬다는걸, 글을 쓰며 깨닫는다.
늦게 알아서 미안한 마음뿐이다.

내 마음이 편하기 위해 글귀들을 선물했다.
이렇게라도 미안함을 조금은 내려놓본다.

미안함에도 형태가 있었으면 좋겠다.
마음은 이만큼인데 형태가 없으니 답답하다.
그래서 나도 알게 모르게 무의식이 형태를 찾아
준 것이 글귀였나 보다.
나는 글을 선물했지만, 마음을 준 것과 다름없다.

수많은 감정 중에 내 마음은 미안함에 가까운 것
같다.

악필

제가 책을 쓴다고 하니 친구 한 명이 도움이 될
까 해서 필사 한 것을 빌려준다고 하는 거예요,
돈으로도 살 수 없는 재산인데, 그거를 빌려준다
는 건,, 마음이 무겁기도 하면서 너무 감사한 마
음이었습니다.

친구가 건네주면서 "내가 좀 악필이라며" 멋쩍은
웃음을 내더라고요
저는 집에 돌아오면서 악필이라는 게 암호 같다

고 생각했어요.

핸드폰으로 치면 페이스 ID, 지문인식 같다고,

옛날에 천재는 악필이라는 말이 있잖아요.

본인만에 색깔이 확실한 글씨

나만 알아보면 되는 글씨, 그것만으로도

왠지 특별한 것 같아서 기분 좋네요.

저에게 악필이란

오래 볼 악, 붓 필입니다.

오래 봐야 하는 글씨라는 뜻입니다.

저는 명필보다 악필에 더 마음이 갑니다.

캐나다

캐나다라는 이름만으로도 설레는 여러 가지를 상
상하게 됩니다.
저에겐 자연의 나라라는 인식이 있는데요.
가보진 않았지만 로키산맥, 나이아가라폭포, 옐로
나이프의 오로라가 생각이 납니다.

로키산맥은 신의 축복을 받은 자연이라고 들어봤
습니다. 캐나다에서 시작돼 미국을 걸쳐 멕시코까
지 끝이 없는 자연이라고 합니다. 로키산맥을 상

상해 보면 자연스레 부모님 생각이 납니다.
부모님의 사랑에는 끝이 없음을 느끼고, 한 번은 꼭 부모님을 모시고 로키산맥 트레킹 코스를 걷는 상상만으로도 따듯함으로 물들 거 같습니다.
나이아가라 폭포는 미국과 절반을 나누고 있다고 합니다. 저는 이 사실을 듣고 절반을 떼 줄 수 있는 친구가 생각이 납니다. 그런 친구와 함께 바라보는 나이아가라폭포의 웅장한 장면은 마치 친구와 영화 주인공이 된 것 같습니다.

옐로 나이프의 오로라는 사랑하는 사람을 생각나게 하는 황홀함이 있을 거 같아요.
"이곳에서 함께" 그 자체만으로도 인생에서 인상적인 하루일 거라고요
평생함께 라는 말이 잘 어울리는 자연의 로맨틱을 밤하늘에 흩날리는 상상해 봅니다.

이 모든 것을 상상하고 나면, 뜬금없이 메이플 시럽이 생각이 나요.
"캐나다" 이름만으로도 달달한 나라인가 봅니다:)

친구

굉장히 무거운 주제라고 생각합니다.
사람마다 생각하기 나름, 친구의 정의에 견해가
있기 때문에 정답은 없다고 생각합니다.

엄마같이 따뜻한 온화함도 있을 거고
아빠같이 무거운 듬직함도 있을 거고
형제자매같이 챙겨주는 애틋함도 있을 겁니다.

다만 한 가지는 확실한 거 같아요.

내가 기쁠 때 같이 기뻐해 주는 친구
내가 슬플 때 묵묵히 같이 소주 한잔해주는 친구
"온전히 감정을 나눌 수 있는 사람"
"낭만"이라는 말이 잘 어울리네요,
저에게 친구란 마음 보신입니다.

도울 보, 몸신
보신이란 뜻에는 몸을 지킨다는 뜻이 있다고 합
니다.

몸이 허할 때 몸보신한다고 하잖아요??
저에게 친구란 같은 의미를 담고 있습니다.

판타지소설

이름만으로도 무궁무진한 창의력이 생각나는 단어입니다.
그리고 한편으로는 "휴식을 집중하게 하는 사람들"이라고 생각합니다.

하루하루 지친 일상 속에서, 숨을 불어넣어 주는 사람들 같아요,
많은 회차가 뒤에 기다리고 있을 땐 세상 다 가진 것 같은 재미의 기대감과 행복감에

시간 가는 줄 모르고 출근길 지하철 같은 요즘
세상에 틈을 줍니다.

다음 회차를 기다리는 독자의 마음은 캘린더와
시간만 바라보며 애꿎은 새로고침만 하게 만듭니다.
판타지 소설 작가님들의 스토리성과 표현력은 가히
존경스럽습니다.
"어디까지 내다보고 쓰신 걸까"라는 물음이 자연
스레 듭니다.
꿈을 풀어쓸 수 있는 특별한 사람들인 거 같아요.

글을 쓰고 보니 판타지 소설은 산타였네요
"행복을 주는 사람들이니까요"
"일탈이라는 표현이 제일 잘 어울리는 창의력 대
장들"

치킨

제 친구 중에 닭 가슴살만 먹는 친구 한 명이 있습니다.
같이 치킨 먹기 좋다는 생각을 하다가 문득
"언제부터"라는 물음을 던져봅니다.

저는 닭 가슴살이 뻑뻑해서 안 좋아합니다.
가슴살이 섞여있는 순살도 안 좋아합니다.
분명 제 친구도 다리 살은 좋아할 텐데 하며 생각을 하다 보니 제 친구는 어릴 적부터 예스맨이었습니다.

"이거 할래?"이거 먹을래?"라는 의견에 항상 좋다고 했어요

누군가에게는 주관이 없다고, 줏대가 없다고 할 테지만 제 눈에는 착함과 배려가 꼭 차다 못해 흘러넘친 것이라고 생각이 듭니다."얼마나 오랜 시간 넘쳐흘러야 가능한 것일까"

그런 사람이 내 친구라니 감사한 마음입니다.

그 친구에게 다음부턴 닭 다리를 줘야겠습니다.

그리곤 물어봐야겠습니다.

"가슴살도 습관이 되니?"

새벽한시

나는 교대 근무를 한다. 주변에서 힘들지 않냐는
물음을 많이 받는다.
힘들기도 하지만, 왠지 특별한 거 같아서 좋다
주간 출근 일 때는 새벽과 저녁이 함께한다.
야간 출근 일 때는 늦잠의 휴식과 온전한 새벽이
함께한다.
심야 출근 일 때는 낮부터 햇살의 여유가 함께한
다. 나는 반복되는 패턴 안에 루틴을 만들었다. 주
간일 때는 새벽에 일어나 책을 읽고, 운동을 하고

씻고 출근한다.

야간일 때는 늦잠을 자고 일어나 책을 읽고, 운동을 하고 출근한다.

심야 일 때는 아침에 퇴근해 책을 읽고, 운동을 하고 쉰다.

이렇듯 나는 직장인이지만 남들 일할 때 쉴 때가 많아서 특별함을 느낀다.

그중에서도 제일 특별하다고 느끼는 시간은 야간이다

애매한 오후에 출근해, 새벽 한시에 끝난다.

누군가는 애매한 시간이라고 아무것도 못하겠다고 한다.

하지만 나는 그렇기에 야간이 좋다

왠지 "부지런함"의 선택을 주는 것 같다.

새벽 한시에 끝나 시간 맞는 친구와 등산을 다녀오기도 한다.

그리고 무엇보다 새벽 한시에 함께할 수 있는 특별함을 가진 이들이 있다.

나에겐 나와 비슷한 자영업 하는 친구가 있다.

우리는 청개구리인지 각자 휴무보다 새벽 한시를
더 좋아한다.
세상이 잠들 시간이지만 우리의 새벽 한시는 금
요일, 토요일이다.
이 시간대에 함께할 수 있는 사람이 몇이나 될
까?? 라는 감사함을 갖는다.
그것만으로도 새벽 한시는 특별하다

그래서 나에게 새벽 한시란 특별함이다.

은행

감정에도 은행이 있었으면 좋겠다.

오늘은 조금 기쁨이니까 조금은 덜어서 저축해놓고 오늘은 조금 우울하니까 저축해 놓은 기쁨을 꺼내오고 오늘은 조금 걱정이 있으니까 조금은 덜어서 예금해놓고 오늘은 따듯하니까 따듯함을 저축해놓고 가끔은 너무 힘들어서 쓰러질 거 같으면 기분 좋은 감정들을 대출받고 싶다.

내가 운동을 하고, 책을 읽고, 좋아하는 사람들을

만나는 이유는 긍정적인 감정을 만든 것이다 휴식의 이유보단 부정적인 감정을 들어오지 못하게 만드는 것 같다.

나는 부정적이란 감정에 특화되어있는 것 같다. 한없이 슬프고 우울함을 내가 자연스레 만들 수 있다.

그렇다고 부정적인 감정이 싫은 것은 아니다 나를 돌아보게 함으로 꼭 필요하다.

그에 비해 긍정적인 감정은 자연스레 생기지는 않는다.

내 생각과 행동을 따라온다. 나에게 어차피 내려올 등산을 왜 하냐는 물음을 하는 사람들이 있다.

참 안타까운 질문이라고 생각한다. 그 행동으로 내가 무엇을 얻고 있는지는 모르는 것이다.

즉, 가져본 적이 없는 것이다.

어떻게 매일이 행복할 수 있겠어 라고 말하는 사람들도 있다.

그 말에는 공감하지만, 그 감정을 없애려고 노력하지 않을 이유도 없다.

"아무것도 하지 않으면 아무 일도 생기지 않는다"

이 말에 단편적인 면이 아닌 감정도 똑같음을 알아야 한다. 부정적 감정에는 습관이 있는 것 같다 부정적인 감정은 내가 망가지고 있는지를 모르게 만든다.
"오늘 하루쯤"이 일주일이 되는 것과 같다.
그렇기에 긍정적인 감정은 항상 필요하다.

이렇듯 긍정적 감정을 필요할 때에 맞춰 꺼내서 균형을 맞추고 싶다.
내가 너무 힘들고 슬프지 않도록, 그래서 내 감정들에 은행이 있었으면 좋겠다.

내가 아끼는 것들

나의 부족함을 채워주는 네 명의 친구들이 있다.
나에게 부족한 것들이 그들에겐 있다.
동민이란 친구는 "유연함"이 있는데, 대처하는 방법이다.
어느 상황에서도 유연함이 있다. 항상 가면이 많은 친구지만 유연함이 바탕인 것 같다.
성수란 친구는 "공평함"이 있다.
내 시간 비싸, 근데 너 시간도 비싸 라는 친구이다.

그렇기에 맺고 끊음에 선이 확실하다.

홍석이란 친구는 "따듯함"이 있다.

좋은 사람 곁에 좋은 사람들이 모인 다라는 말이 잘 어울리는 친구이다.

이 친구와 함께 있으면 많이 웃기도 하지만, 하나, 둘 모이기 시작한다.

상혁이란 친구는" 성실함"이 있다

내가 만나 본 그 어떠한 사람보다 열심히 살고 바보 같다 싶을 정도로 정직하게 산다.

문득, 나는 무엇이 있을까 생각해 본다.

아마 나는 아끼는 마음이 아닐까란 생각을 해본다. 난 어릴 적부터 아끼는 것들에 애착이 컸다.

물건은 사용해야 하는데 아끼는 순간 관상용이 되어버린다.

그런 성격 때문인지 아끼는 친구들을 더 안 만나게 되는 것 같다.

어느 날은 친한 형님이 술자리에서 얘는 만나는 애들만 주구장창 만난다고 하셨다.

그 말씀에 나에게 긴장감을 줘본다.

그들과 오래 보고 싶다.

그렇기에 너무 가까워져서 실망하지 않도록, 너무 가깝지 않게 거리를 두려고 노력해 본다.

이 방법이 맞다고는 못하겠지만, 이것이 나만의 아끼는 방식인 거 같다.

맑은 날

요즘에 나는 하늘을 많이 본다.

걱정이 많은 것인지, 불안감 때문인지는 모르겠다. 대체로 미세먼지 때문에 요즘 하늘은 누렇고 멀리 보이지 않는다.

그러면서 "내일은"이라며 맑은 날을 기대해 본다 언제부턴가 맑은 날이 귀하다.

티끌 없이 파란 하늘에 새하얀 구름들이 귀해졌다. 맑은 하늘은 사람 마음을 설레게 한다. 나는 이렇게 맑은 하늘을 보고 있으면 여행 생각이 난다.

오늘 같은 날 연차를 써야 했다며 피식해본다
모든 이의 아침을 이렇게 맑은 하늘이 반겨주니
매일 똑같은 출근길마저 사진 찍게 하는 몽글몽
글한 감정이 생긴다.
날씨란 참 기분 같다.
비 오는 날엔 창가로 빗소리를 듣고 있으면 센치
해지는 감성에 아이스커피가 아닌 따듯한 커피
생각이 난다 괜히 플라스틱 컵이 아닌 머그컵에
먹고 싶다. 비 오는 날은 감정의 분위기를 갖는다.
하지만 우리나라는 흐린 날이 많다.
아마 흐린 날들은 다른 날들을 위해 바탕이 되어
주는 것 같다. 매일매일이 맑은 날이면 맑은 날이
주는 감정이 없어질 것 같다.
그것 또한 불행일 것 같다.
이렇듯 흐린 날은 내가 당연시하는 것에 대한 감
사함을 준다. 그래서 흐린 날들은 다른 날들을 위
한 것 같다. 요즘 문득 하늘을 보고 있노라면 맑
은 날이 귀하다는 생각이 든다.

"내일도 맑았으면 좋겠다"

일요일은 짜파게티

나는 일요일마다 중국집에 짜장면과, 짜파게티를
자주 먹게 되는 것을 알았다.
그러면서 새삼 ˝일요일은 짜파게티 요리사˝라는
광고가 대단하다고 느껴졌다.
일요일의 무의식을 점령한 짜파게티이다.
문득, sns와 비슷하다고 생각해 본다.
사람들은 다른 사람의 sns 흔적들을 보고 가볍게
판단한다.
대부분은 겉만 보고 판단하는 시기 질투이며, 힘

듦은 생각하지 않는다. 내가 아는 형님이 한 분 있다. 그 형님은 sns에서는 세상 다 가진 행복한 사람이다

하지만 속을 들여다보면 일을 두 개씩 하며, 자칫하면 목숨도 잃을 수 있는 크게 다칠 수 있는 일을 하신다.

보이는 겉은 당연히 만들어지는 것이 아니다

짜파게티와 닮지 않았는가??

짜파게티가 사람들의 일요일의 무의식을 점령하기까지의 힘듦은 감히 이해할 수 없다, 광고만 보면 "오늘은 짜파게티 요리사"라고 간단한 광고 같지만 저 10글자에도 많은 힘듦이 들어갔을 것이다. 이렇듯 그렇게 되기까지의 힘듦을 생각해 봐야 한다.

바깥에 겉은 당연히 만들어지는 것이 아님을 알아야 한다.

겉을 보고 속을 판단할 수 있는 혜안이 필요하다 어찌 보면 sns는 버틴 자들의 혜안일 수도 있겠다.

제4화 소울푸드

돈까스

어린 시절 우리 집 외식 메뉴는 돈가스였다.
현재는 배달도 있고, 어딜 가도 쉽게 보이는 음식
이지만 나의 어린 시절에는 특별한 날에만 먹을
수 있었다.
엄마, 아빠, 동생, 나 이렇게 네 가족이 오순도순
모여 먹었던 고급 음식이란 이미지가 아직도 머
릿속에 있다.

그 시절이 그립기도 하다

너무 커버린 걸까. "엄마가 저녁에 레스토랑 갈까?"하면 야속하게도 그날따라 저녁까지 시간이 잘 흐르지 않았다.

"엄마 시간이 안가" 빨리 가면 안 돼??라며 얼마나 찡찡댔던지,,시간은 내 설렘과 기대감에 반응하는 것일까.

현재도 아직까지 그렇다.

설렘의 단어에 계획을 세우면

그날까지, 시간이 흐르지 않는다.

어떻게 보면 다행인 걸까,

아직 어린 시절 마음을 간직하고 있는 걸까 라며 다행이라고 혼자 말해본다.

그러면서도 가슴 한편에는 잃어버린 마음찾기 처럼 가족들과의 시간에 설렘과 기대감을 찾을 수 있는 방법을 아쉬워하며 이렇게 글로나마 기억해 내본다.

순대국

저는 국밥부장관이라고 불릴 정도로 국밥류를 좋아하는데 그중에서도 순댓국을 좋아합니다.

친구들과 술 마시는 도중 내일 순댓국??할까라는 그 말이 너무 좋습니다.
펄펄 끓는 뚝배기에 대충 썰어 뚝배기를 꽉 채운 고깃덩이들, 순댓국이 마치 전날 술자리 같다는 생각 들어요. 순댓국에 영원한 친구인 깍두기는 제멋대로 모양에 시큼 아삭한 맛은 우리들에 대

화인 거 같고, 깍두기를 다 먹으면 누가 가냐 할
거 없이 셀프 바로 돌진해서 퍼 오는 그 배려는
웃음 짓게 만드는 달달함이 있어요.
그 시간이 뚝배기처럼 뜨겁고, 뚝배기를 꽉 채운
고깃덩이처럼 마음이 꽉 차있어요.
그 마음이 흘러넘쳐서 다음날 펄펄 끓어넘치는
순댓국으로 이어지는듯해요.

다음 날 순댓국집에서 얼굴들은
뚝배기에 밥처럼, 얼굴들은 띵띵 불어서
한 숟가락에 호호 불며 "어제 재밌었다" 그래서
여기까지 왔나보다 라며 낄낄대곤 합니다. 다 먹고
마지막 물 한 잔에 아쉬움을 마신답니다.

살다 보니 꾸준히 찾게 되는 건 순댓국인거 같
아요.
저랑 닮아서 그런가 봐요

제육볶음

제육볶음을 싫어하는 사람이 있을까요, 라는 말이
있을 정도로 쉽게 접할 수 있는 맛있는 음식인
거 같아요.
제육에는 두 종류가 있습니다.
달달하고 국물이 자작하게 있는 제육과
불향이 들어간 국물 없는 제육이 있어요.

왠지 모르게 달달한 제육은 아주머님이
온화하신 성격이 실 거 같고 불향의 제육은 시원

호탕하신 성격이실 거 같다는 느낌을 준답니다.

대부분 제육은 백반집 메뉴인데요,
제육보다도 밥도둑 밑반찬에 더 젓가락이 갑니다.
먹다 보면 반찬 빈 그릇을 들고 주방으로 가봅니다.
"이거 더 주실 수 있나요?"라는 물음에 환한 미소로 "갖다 줄게"라고 말해주시는 아주머님의 미소에 기분 좋습니다.

밥은 무조건 두 공기여야 하고요
밥은 항상 할머니가 주시는 것처럼 꾹꾹 눌러 담겨있어요 두 공기째에 반 정도는 남은 제육을 넣어 섞어먹습니다. 다 먹고 나니 테이블에 빈 그릇밖에 없네요.
배부른 만큼 "음식 하실 때에 아주머님의 마음이 전해진 거 같습니다"

"잘 먹었습니다!!"

제**5**화 비고

벚꽃

벚꽃나무만큼 저에게 의미 있는 나무가 없습니다.
사랑과 슬픔을 함께 했습니다.
20대의 사랑이 있었고, 20대의 슬픔이 같이 있는
나무예요.
저는 5년 동안 만나고, 미래까지 약속한 연인이
있었습니다.
사계절마다 함께 항상 있었어요, 잘 맞았단 뜻이
겠죠 그중 제일 기억에 남는 계절은 봄이에요.
봄이니까 "벚꽃놀이" 가야지라며 동그란 얼굴에 항

상 마음은 소녀인 사람이었습니다. 봄과 잘 어울리는 사람이었어요. 이제는 다시는 만날 수 없는 이유로 헤어지게 되었지만 그렇다고 함께 해온 그 시간마저 부정하진 않습니다.
그건 나를 위하지 못한, 못할 짓이라고 생각해요. 그분과 저는 벚꽃이 필 무렵, 서로의 앞길을 응원해 주기로 했어요.

사랑을 시작할 땐 "언제 벚꽃 피지 하면서" 그렇게 벚꽃 노래를 불렀는데,,
흩날리는 벚꽃이 이렇게 슬플 줄이야
벚꽃이 내 눈물만큼 흩날리고
거리에 사람들이 야속하게만 느껴지고
따뜻한 햇살은 모든 사람들에게 내 슬픔을 공개하게 하는 것 같았어요.
사람마다 그런 계절이 있다고 해요.
"잊지 못하는 계절"

저한테는 벚꽃 필 무렵에 봄인가 봅니다.

연애

연애란 "잃어봐야 가치를 안다"라는 말이 잘 어울리는 단어입니다.
연애의 시작은 식당에 가서 아무것도 못하게 하는 설렘과 다정함이 있습니다.
이후 시간의 흐름 속에서 이제는 한 명은 물을 따르고, 한 명은 숟가락 젓가락을 놓습니다.
이렇듯 설렘은 웃음으로 다정함은 편안함이 되어 들어옵니다.
아마 설렘과 다정함은 웃음과 편안함을 위한 것

이 아닐까 생각이 듭니다.

다만, 명심할 것은 웃음과 편안함이 속아 소중함을 잃지 마시기 바랍니다. 웃음 속에 설렘이 있고, 편안함에 다정함이 있다는 것을. 상대방도 나만큼이나 좋고, 싫음이 있습니다.

내가 배려한 만큼, 상대방도 배려하고 있다는 마음을 지켜야 합니다.

처음 마음 그대로란 내가 변한건 아닐지 생각해보지 않을 수 없습니다. 상대방이 부족해 보이는 건 나의 오만함이 만든 색안경 아닐까요.

"웃음과 편안함에 속에 숨은 익숙함은 악마일 수도 있겠습니다"

이별

이 단어를 보고, 듣기만 해도 시리고, 아프고, 공허한 감정이에요.
저는 이별 후에 생각해 보면 세상이 무너지는 듯한 느낌이 이런 거구 나를 느껴요.
사람이 피할 수도 없고, 만들 수도 없는 감정인거 같아요.

혹시라도 현재 아파하고 계시다면 제가 감히 해드릴 수 있는 말은 충분히 아파하셨으면 좋겠습니다.
감정은 무한하지 않아요, 이별이란 게 어떻게 보
면 살면서 몇 번 없을 감정이기도 해요,
나를 성장시켜주는 감정인 거 같아요.
그렇게 아파하고 시간이 지나고 보면,
주변에 소중함, 시간에 소중함 등등
여럿 소중함을 깨우치기도 하며
꼭 필요한 감정이라는 생각이 들었습니다.

조금 더 성숙하게, 조금 더 나를 사랑하는 방법을
알게 해준 감정이에요,
하지만 시간이 지나면 왜 그렇게 미안해지는지,,
행복하셨으면 좋겠습니다.

Epilogue

40대의 나에게

넌 여전히 줄넘기를 하는 중이니??
넌 여전히 책을 읽는 중이니??
넌 여전히 블로그로 행복을 나누는 중이니??
넌 이제는 100대 명산을 다 등반했니??
넌 아직까지 소중한 사람들과 함께하는 중이니??
넌 아직까지 금연 중이지??

하고 싶은 말이 너무 많지만 제일 해주고 싶은
말은

"행복"하지??지금도 입버릇처럼 "돈 많은 사람도
행복하지, 근데 내가 제일 행복할걸"이라며 다니
는 도파민 중독자 30대의 백찬현이
40대가 기대되는 백찬현에게 쓰는 편지

학교 다닐 때 상장 한번 받아보지 못한 너지만
"경험과 추억이 많은 사람이 행복하다는걸"
그렇기 때문에 해야 할 이유가 더 많은 사람으로
40대에 찬현이도 잊어버리지 말고, 그리고 힘들
어도 쉬지 마 난 너한테 쉬라고 못해
힘든 일도 있을 거고, 좋은 일들도 있을 거야
좋은 일들은 무서워할 줄 알면서 보내고
힘든 일들은 견뎌, 버텨, 이겨내, 세 단어로 40대
를 맞이하길 바래
타협과 핑계보다는 방법을 찾는 사람으로 살아가
너는 과정 안에 행복이 깃들어있음을 알고 있으
니까.

그리고 옆에 소중한 사람이 쓰러져있으면 부축해
서 같이 나아가

혼자 보는 광경보다 같이 보는 광경이 더 좋을
거야.
예의와 겸손의 태도 잃지 말고 우쭐대면 뒤진다.
마지막으로 네가 태어나서 의무와 권유가 아닌
처음으로 하고 싶다고 생각 드는 일

최선을 다한 거 끝까지 온 거 "축하해"

엄마

이 세상에서 우리 가족 말고 아무도 모르는 우리 집 이야기를 해보려고 한다.

우리 집은 흔히 말하는 불화 가정이었다.

아버지의 과음으로 인한 폭언과 물건이 남아나질 않았다. 엄마가 아빠를 피해 나와 동생을 데리고 다른 지역으로 도망쳤을 정도이다

당시에 별거하셨다가 엄마의 용서로 다시 합치셨지만 아빠는 이 전보다 나아졌다 해도 역시 사람은 고쳐 쓰는게 아니다,

아빠가 늦게 들어올 때의 긴장감이 아직도 숨 막힌다 어렸을 적 기억에 엄마의 눈물만 가득하다

그러면서도 엄마는 부모로서 충분히라는 말이 넘칠 정도로 노력하셨다 도망가고 싶을 때마다 우리가 너무 이뻤다고 그러졌다.
이런 상황에서도 시부모님들을 모시고 사셨다.
참고로 아빠의 형제들은 7남매이고 우리 아빠는 장남도 아니다. 그렇게 20여 년을 모시고 사셨다
나는 엄마 아빠보다 할머니 할아버지 얼굴을 더 많이 봤다.
우리 집이 아빠, 할머니, 할아버지가 몇 년 사이에 거의 동시에 아프셨다
이때 엄마는 몸이 부서질 정도로 잠도 안 자고 일하셨다.

나중에 들어보니 병원비가 없어서 모아논 돈도 다 쓰고 사채도 쓰고 빌릴 수 있는 곳에서 다 빌리셨다고 한다.

가족이란 무엇일까

사실 우리 엄마의 부모님도 아닌데 그렇게 20여 년 모시고 살면서 생활비 한번 보탬을 받아보지 못했다. 병원비 도와달라는 손가락을 머쓱하게 만든다. 당연히 도움다운 도움을 받지 못했다.

이 사실을 아빠가 몰랐을까?? 항상 본인 형제 얘기만 나오면 우리가 양보해야 된다는 듯 말하는 웃긴 사람이다.

나는 어려서 몰랐을거라고 생각하면 큰 착각이다. 나는 전화로 목소리만 들어도 뭐 때문인지 알거 같은 셈이 빠른 사람이다.

지금은 불의의 사고로 아빠가 인지능력도 없어지고, 몸도 못쓰신다, 어찌 보면 안타깝다
아니 벌받은 걸 수도 있다.
근데 엄마는 아빠를 케어해야 하는 왜??
라는 또 물음이 생긴다. 나는 엄마가 가족이라는 사슬에 묶인 지옥일 수도 있겠다고 생각한다.

그러면서도 감사한 마음뿐이다
그때 우리 놓고 도망 안 가서 고맙다고,
옆에서 올바르고 단단한 사람이
무엇인지 몸소 보여줘서
이렇게 잘 큰 거 같다고

현재의 나는 부모님의 거울보다는
우리 엄마"손 경례"의 거울이다.

아빠

우리 아빠는 두 가지의 사람이다
술(과음) 먹기 전후가 다른 사람이다.

먹기 전엔 장난꾸러기 같은 느낌의 아빠다.
입에 달고 사시는 말이 있었는데
"언제 커서 술심부름 시키냐"라는 말이었다.
월급날엔 항상 자고 있으면 머리맡에 용돈을 두
고 가신다.
그런"친구 같은 아빠의 모습"

그러다가 과음으로 취하시면 화를 못 참으시는 것 같았다. 같은 사람이 맞나 싶을 정도로 과격하게 변하셨다. 과음인 날에는 엄마와 마찰이 아침까지 이어진다.
물건이 깨져있는 건 흔한 일이었다.
그럴 때마다 아빠처럼 되지 않을 거라고 다짐하며 살았다. 저녁에 아빠가 외출할 때면 동생과 신발장 앞에서 항상"술 많이 먹지 말라고" 말했다

아마 지킬앤하이드나 아수라 백작이 실존해 있다면 우리 아빠일 거다.

나는 아빠가 좋다, 싫다를 고를 수 없다
"피는 물보다 진하다"라는 말이 와닿는다.

현재는 병원 침대에서 몸도 못쓰시고, 인지능력도 떨어진 아빠를 지켜보면

"그냥 너무 밉다"